Crotte de nez

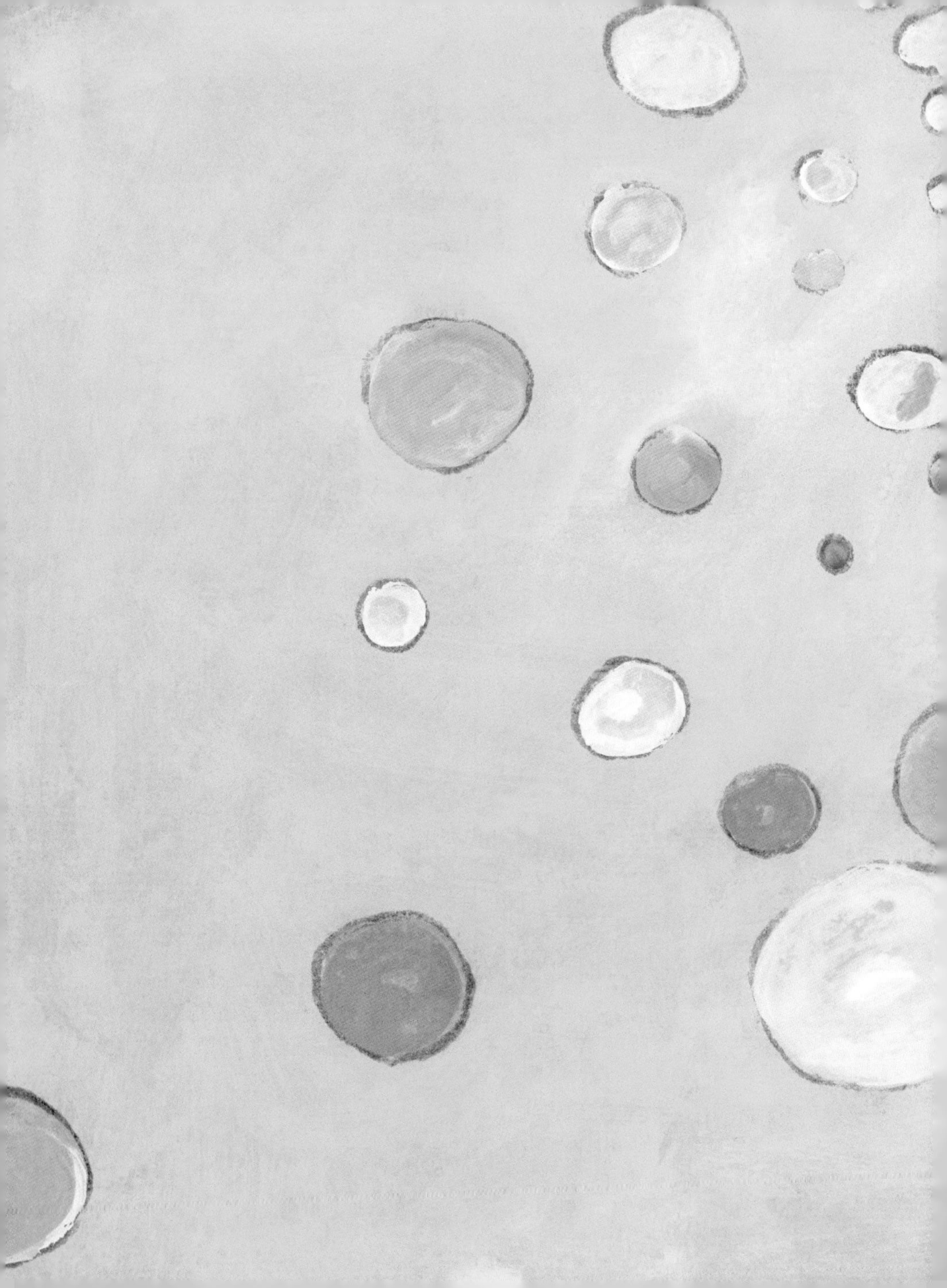

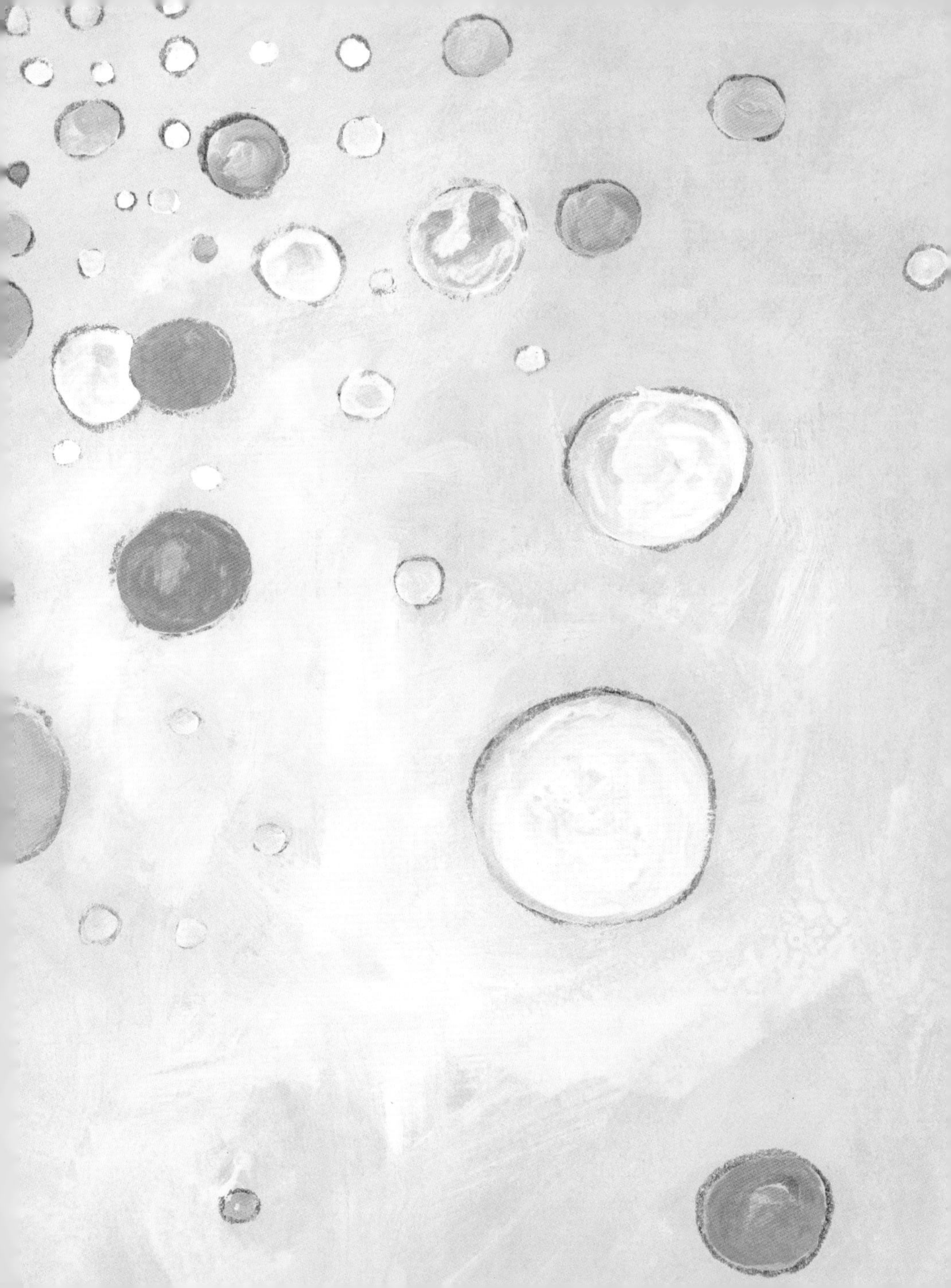

ISBN 978-2-211-06190-2
Première édition dans la collection *lutin poche* : juin 2001

Loi numéro 49 956 du 16 juillet 1949 sur les publications destinées à la jeunesse : mars 2000
Dépôt légal : mai 2019
Imprimé en France par Estimprim - 25110 Autechaux

Alan Mets

Crotte de nez

les lutins de l'école des loisirs
11, rue de Sèvres, Paris 6e

Jules et Julie étaient voisins.
Chaque matin, ils traversaient la forêt
pour aller à l'école.
Ça rassurait leurs parents
de les savoir ensemble.
Mais jamais
Julie n'adressait la parole à Jules
qui ne savait pas comment
avouer à Julie son amour.

Pourtant un matin,
le ciel était tellement bleu qu'il se dit :
« Aujourd'hui, il faut que je lui parle. »
Il vit Julie qui sortait de chez elle
pour le rejoindre, elle souriait.
Au moment même
où il allait ouvrir la bouche, elle lui dit :
« Demain, je déménage ... »

« Mais pou… pou… pourquoi ? »
demanda Jules.
« T'as pas entendu parler
du Grand Méchant Loup ? »
« Euh… si », murmura Jules.
« Parce qu'il est dans les parages.
Et tu sais quoi ? Il enlève
les petits enfants et il les mange !
Alors demain, on déménage…
Enfin toi, tu ne risques rien ! »
Et Julie, comme d'habitude,
passa devant lui la tête haute.
Jules la suivit sans rien dire,
ne sachant pas trop bien pourquoi,
lui, il ne risquait rien.

C’est lorsqu’ils furent au plus profond
de la forêt qu’un gros balèze de loup
sortit de derrière un chêne.
En un clin d'œil, il les attrapa
et les jeta dans un grand sac
qu’il mit sur son dos.
Pendant tout le trajet, Julie cria
et donna force coups de pied.
Jules avait un léger sourire
sur les lèvres : enfin, il était tout près
de sa bien-aimée.

Le loup les débarqua sans ménagement
et il sortit en fermant soigneusement
les nombreux verrous de la prison.
« Qu'est-ce qu'on fait, t'as un plan ? »
demanda Julie.

Jules avait toujours son sourire
sur les lèvres.
« Alors, non seulement tu pues »,
dit Julie en reniflant,
« mais en plus t'es qu'une nouille ! »
Et elle lui tourna le dos.
Jules ne souriait plus. Il était vexé :
il se lavait au moins une fois par mois !
De plus, devant Julie,
il ne mettait jamais
les doigts dans son nez
et évitait de se gratter les fesses.

La porte s'ouvrit.
« Je suis prêt pour le festin. Par qui
je commence ? »
grogna le loup. « On dit souvent
honneur aux filles. »
« Si je peux me permettre,
Monsieur le Grand Méchant Loup »,
répondit Jules, « mon amie a
certainement meilleur goût
qu'un pauvre petit cochon qui pue,
et on dit bien qu'il faut garder
le meilleur pour la fin. »
« Tu as raison mon garçon »,
dit le loup en rigolant. « Viens avec moi !
J'aime les gens comme toi … »

La cuisine du loup était une pièce
d'une propreté redoutable.
Jules observa le monstre.
Ses ongles et ses dents
étaient d'une blancheur éclatante,
sa personne dégageait
une discrète odeur de parfum.
« Certainement Homme n° 5 »,
se dit Jules en se souvenant
des reproches de Julie.
Oui, il n'était rien
qu'un pauvre petit cochon qui pue.

Mais le loup s'avançait vers lui
avec, à la main, un grand couteau
tout juste sorti du lave-vaisselle.
Alors, Jules regarda
le Grand Méchant Loup
dans les yeux…
Et il se mit le doigt dans le nez.

Il en retira avec beaucoup d'adresse
une grosse crotte de nez gluante.
Le loup le regardait avec attention.
Et Jules, d'un air de connaisseur,
mit la crotte dans sa bouche.

Le loup changea de couleur.
Il laissa tomber son couteau par terre.
Alors Jules mit le doigt
dans son autre narine,
en retira une crotte de nez
encore plus énorme
et la mâchouilla avec délectation.

Le Grand Méchant Loup Tout Vert
devint rouge de colère
et se jeta sur le petit cochon.
« PROUT ! »
Jules lâcha un pet monstrueux
et une horrible odeur se répandit
dans la pièce.

Cette fois-ci, le loup, tout jaune,
se précipita vers la fenêtre.
Il l'ouvrit, l'enjamba et courut,
courut si loin, si loin
qu'on ne le revit plus jamais
dans les parages.
Jules referma la fenêtre
en souriant
et chercha la salle de bains.

Elle était absolument magnifique.
Il y avait même une baignoire
qui faisait des bulles.
Jules fit couler l'eau chaude,
vida un énorme flacon
de bain moussant et plongea.

Lorsque Jules ouvrit la porte
de la prison, Julie vit le petit cochon
le plus propre que la Terre
ait jamais porté. En plus, il dégageait
un parfum très délicat.
Alors, Julie s'avança vers Jules
et déposa un bisou sur sa joue
en demandant :
« Mais comment t'as fait ça ? »
Et Jules répondit :
« Les doigts dans le nez. »